Este libro pertenece a:

_____

_____

_____

(La criatura más ruidosa del planeta)

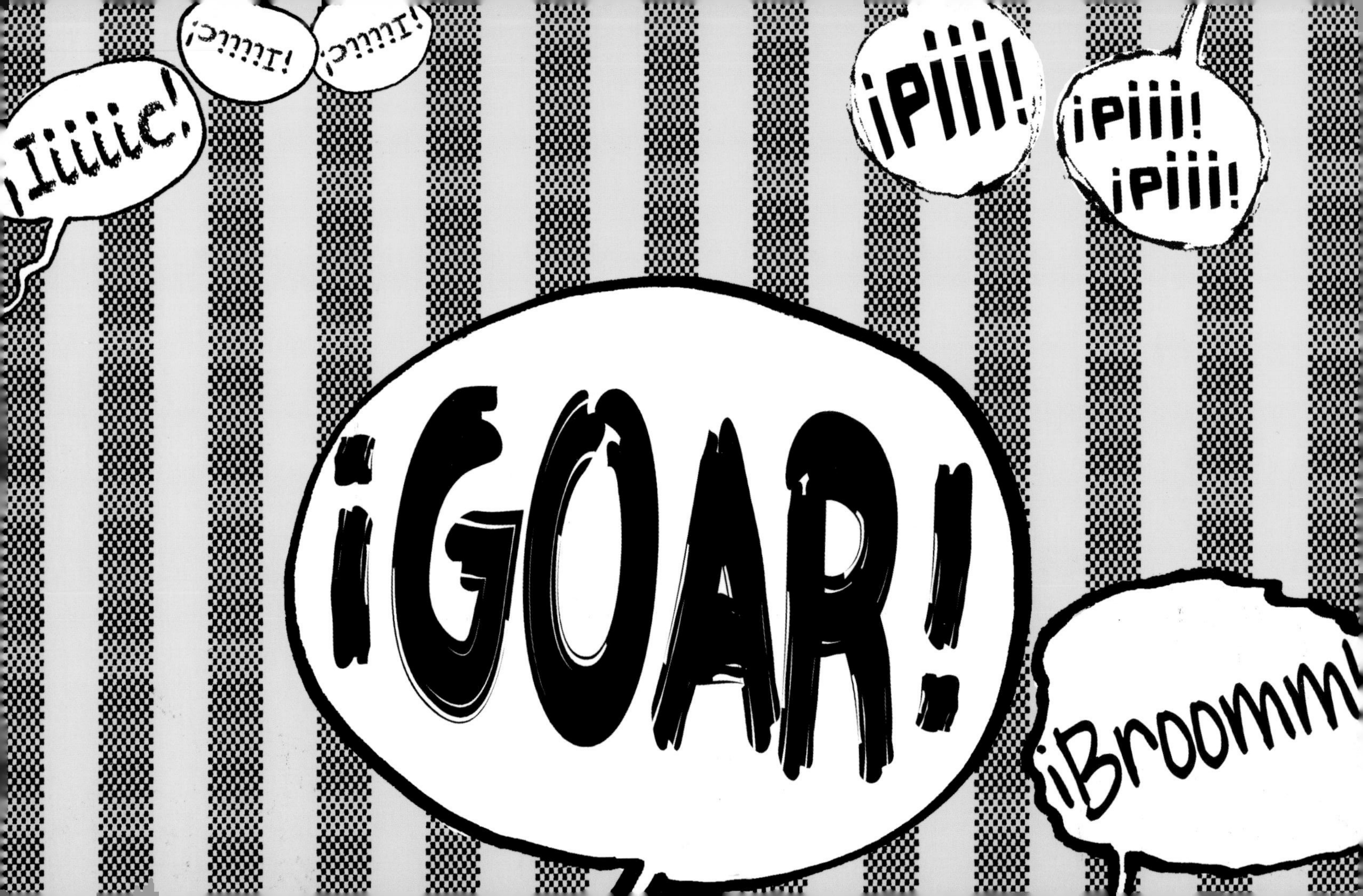
¡Iiiiic!
¡Piiii!
¡Piiii!
¡Piiii!
¡GOAR!
¡Broomm

Dirección editorial: Cristina Arasa
Coordinación de la colección: Mariana Mendía
Cuidado de la edición: Libia Brenda Castro
Formación: Sofía Escamilla
Traducción: María Guadalupe Benítez Toriello

Grita, trina, zumba. Cómo se comunican los animales

Título original en inglés: *Talk Talk Squawk*

Publicado por acuerdo con Walker Books Ltd., 87 Vauxhall Walk, Londres, SE11SHJ
Todos los derechos reservados.

Texto D.R. © 2011, Nicola Davies
Ilustraciones D.R. © 2011, Neal Layton

Primera edición: febrero de 2014
D.R. © 2014, Ediciones Castillo, S. A. de C. V.
Castillo © es una marca registrada.

Insurgentes Sur 1886, Col. Florida,
Del. Álvaro Obregón,
C. P. 01030, México, D.F.

Ediciones Castillo forma parte del Grupo Macmillan

www.grupomacmillan.com
www.edicionescastillo.com
infocastillo@grupomacmillan.com
Lada sin costo: 01 800 536 1777

Miembro de la Cámara Nacional
de la Industria Editorial Mexicana.
Registro núm. 3304

ISBN: 978-607-621-010-9

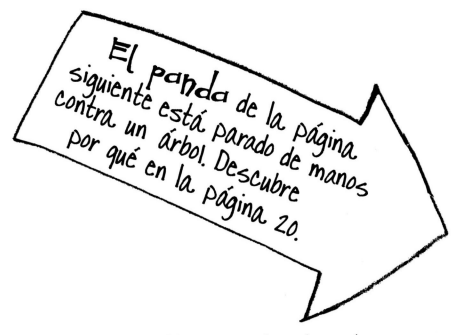

El panda de la página siguiente está parado de manos contra un árbol. Descubre por qué en la página 20.

Descubre por qué en la página 20.

Para Keiran Maye y otros niños a los que les gusta leer (y también a los que no les gusta) N. D.

Para Ben, ¡el comunicador gráfico! N. L.

GRITA, TRINA, ZUMBA

Cómo se comunican los animales

Nicola Davies
Ilustraciones de **Neal Layton**
Traducción de **María Guadalupe Benítez Toriello**

CASTILLO

MUNDO
MOSAICO

Los seres humanos nos
comunicamos todo el tiempo

con palabras,

con gestos,

6

con las manos,

**con letreros, señales, luces
parpadeantes y sirenas.**

Pero no somos los únicos…

A donde quiera que vayas, verás que los animales también hacen lo mismo.

Los monos de nariz blanca de la selva africana usan sonidos como palabras: *piiuu* es *leopardo*, *hac* es *águila*, y los dos juntos: *piiuu-hac*, significan *¡vámonos!*

Las chinches apestosas de parques y jardines tamborilean sobre las hojas y ramas para enviarse mensajes de ubicación.

Las hormigas parasol de las selvas tropicales de Sudamérica dejan rastros olorosos que funcionan como señales direccionales. Así les dicen a otras hormigas qué camino seguir hacia la comida más cercana.

Comida por aquí

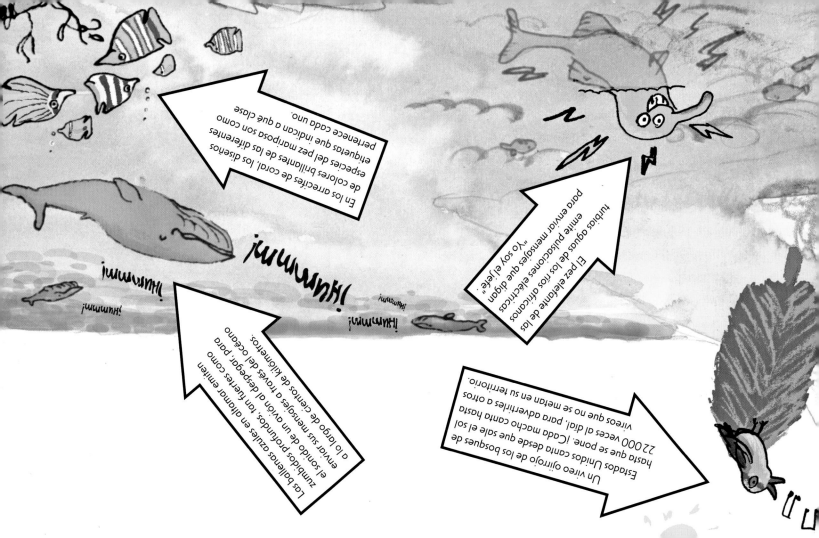

En los arrecifes de coral, los diseños de colores brillantes de las diferentes especies del pez mariposa son como etiquetas que indican a qué clase pertenece cada uno.

El pez eléctrico de las turbias aguas de los ríos africanos emite pulsaciones eléctricas para enviar mensajes que digan "Yo soy el jefe".

Las ballenas azules en altamar emiten zumbidos profundos, tan fuertes como el sonido de un avión al despegar, para enviar sus mensajes a través de cientos de kilómetros a lo largo del océano.

Un vireo ojirrojo de los bosques de Estados Unidos canta desde que sale el sol hasta que se pone. ¡Cada macho canta hasta 22 000 veces al día!, para advertirles a otros vireos que no se metan en su territorio.

¡Juuummm!

¡Huummm!

¡Humm!

¡Humm!

¡COMUNICARSE O MORIR!

Con todo ese permanente cantar, golpetear, aletear, zumbar, parpadear y aullar resulta evidente que para los animales la comunicación es tan importante como para nosotros. Casi todo lo que los animales hacen —como encontrar comida y refugio, conseguir pareja y educar a sus crías— sería imposible si los animales no se comunicaran de alguna manera.

Por eso cada animal debe enviar una señal que su receptor pueda detectar y entender. Por ejemplo, no es buena idea mandar un flashazo para atraer a un galán ciego o susurrar en medio de los truenos; tampoco ondear una bandera blanca si para el enemigo la señal de rendición es una bandera azul. En esos casos las dos partes saldrían perdiendo.

Así, los animales han encontrado la manera de producir señales que funcionan aunque esté muy oscuro, o haya mucho ruido, o cuando su interlocutor está a cientos de kilómetros de distancia, e incluso si pertenece a una especie diferente.

UNIFORMES

Un uniforme dice clara y simplemente: *es de los nuestros*. Incluso el uniforme escolar más horrible —como un suéter de rayas moradas y amarillas que yo debía usar en la escuela— es muy útil para identificar a nuestros compañeros en medio de una multitud.

Los vivos colores del pez mariposa funcionan igual que mi suéter: destacan a los peces para que sus amigos los puedan localizar rápidamente. Puede haber diferentes clases de peces mariposa en el mismo arrecife coralino. Ningún pez quiere perder el tiempo cortejando a un miembro de otra especie, por eso todos tienen un uniforme diferente, es decir, colores y diseños propios; igual que mi horrible suéter era característico de mi escuela.

12

pez mariposa

EL CORAL
ESCUELA
DE PECES
MARIPOSA

Muchas clases de animales tienen "uniformes" que los ayudan a identificar a los miembros de su propia especie. Los cercopitecos son una familia de monos de los bosques africanos con diseños faciales muy llamativos que les permiten encontrar a miembros de su propia especie, aunque muchos tipos de monos estén comiendo en el mismo lugar o incluso en el mismo árbol.

Los uniformes nos permiten saber quién forma parte de nuestro equipo, pero también nos indican qué trabajo realiza cada quien. ¿Cómo podrías distinguir a los policías de los ladrones si los policías usaran jeans y playera en vez de uniforme?

El lábrido limpiador es un pececito de los arrecifes que se gana la vida... sí, adivinaste: limpiando. Los lábridos recolectan y se comen los mini parásitos que se alojan en la piel de sus vecinos más grandes. Es un trabajo que requiere confianza de ambas partes: el lábrido debe confiar en que su gigantesco cliente no se lo cenará; y el cliente debe confiar en que el lábrido no le va a pegar un mordisco en su tierna piel. Para comunicar que no es un pez tramposo cualquiera en busca de una comida rápida, el lábrido usa un uniforme: su cuerpo está coloreado con nítidas rayas negras y azules, así se distingue claramente de cualquier otro pez. Y además, para confirmar a sus clientes de quiénse trata, el lábrido baila contoneando su cuerpo hacia delante y hacia atrás en el agua.

¡Sus limpiadores de confianza!

Somos los lábridos limpiadores

LAS RAYAS SIGNIFICAN *PELIGRO*

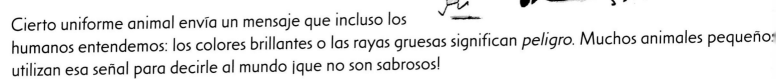

Cierto uniforme animal envía un mensaje que incluso los
humanos entendemos: los colores brillantes o las rayas gruesas significan *peligro*. Muchos animales pequeños
utilizan esa señal para decirle al mundo ¡que no son sabrosos!

Las abejas y las avispas les indican a los predadores con sus rayas amarillas y negras que tienen un molesto
aguijón. Las orugas de la polilla cinabrio van atiborradas de veneno por las plantas que comen, por eso para
los pájaros su diseño naranja con negro significa *¡puaj!* Las serpientes coralillo anuncian su mordedura letal
con franjas rojas, amarillas y negras. Y las ranitas punta de flecha, que tienen toxinas mortales en la piel,
son de los mismos colores que algunas joyas.

¿Por qué tomarse la molestia de "vestirse" con colores brillantes o rayas si su mordida es dolorosa, y tienen
aguijones o sabores horribles? Bueno, en primer lugar, los colores brillantes resaltan, y así evitan el riesgo
de que el predador se los coma por error, porque no los vio o porque los confundió con una sabrosa presa
cualquiera. En segundo lugar, parecerse a otros animales no comestibles o venenosos significa que tal vez
el predador ya sabe qué significa su aspecto, sin necesidad de probarlos.

Una señal de *peligro* como ésta, que muchos animales utilizan y comprenden, funciona para el bien
de todos: nadie se come a la presa colorida, y los predadores no pierden su tiempo tratando de comerse
un bicho que regresa la mordida.

OLORES EN GRUPO

Los colores y los diseños que dicen *es de los nuestros* o *peligroso* funcionan bien a la luz del día, ¿pero qué sucede en la oscuridad?

Las venenosas polillas tigre salen de noche y sus principales predadores son los murciélagos, así que mandan una señal sonora que dice: "¡puaj! ¡No me comas!". Cuando una polilla tigre escucha los sonidos de ecolocalización de un murciélago, emite un *clic* muy agudo que el murciélago puede oír y en cuanto lo escucha sabe que está cazando algo desagradable y se aleja.

Los castores viven en grandes grupos familiares y no les gusta compartir su comida o su refugio con los que no son de su familia. En su madriguera (el espacio habitable que construyeron) está demasiado oscuro y no se ve nada, así que en lugar de un color o un uniforme, los castores tienen un olor de familia. Es una mezcla de los olores de todos y puede tener hasta 50 ingredientes diferentes, así que imitarlo sería muy complicado. ¡Cualquier castor sin el aroma de la familia será echado de la madriguera!

Muchos mamíferos tienen un "olor de grupo" que identifica a los miembros de la familia como *nosotros*, y cualquier animal sin ese olor queda etiquetado como *ellos*. Cuando tu gato frota su cabeza contra tu pierna, intercambia olores contigo para indicar que eres parte de su grupo.

Mi sabor es repugnante

Guácatelas

Soy asqueroso

¡Miau!
¡Miau!

Yo amo a mi gato

¡FUERA!

A diferencia de un sonido o del destello de un cuerpo de colores brillantes, el olor emite un mensaje que perdura aunque el animal que lo dejó ya no esté. Así, el olor es la forma ideal para decir "¡Fuera de aquí!". En lugar de tener que vigilar todo el tiempo su territorio, un animal puede dejar algunas marcas de olor y alejarse. Esas marcas funcionan como si fueran letreros que prohíben el paso.

Esto resulta muy práctico para los animales pequeños que deben patrullar territorios grandes, como las iguanas del desierto. Reptiles pequeños como lapiceras, que defienden territorios tan extensos como la mitad de una cancha de tenis. Para lograrlo, expulsan bolitas de olor por unos agujeros que tienen en la parte inferior de sus patas traseras. Cada bolita está cubierta por una capa cerosa para evitar que el olor se difunda demasiado rápido. A diferencia de la arena del desierto que la rodea, la cera absorbe la luz ultravioleta, que los ojos de las iguanas perciben muy bien, lo que hace que las marcas de olor destaquen como faros.

Los pandas viven en territorios montañosos grandes y boscosos. Marcan los árboles que delimitan su territorio con un olor que despide una glándula que tienen abajo de su cola. Sin embargo, les parece que no está de más enviar una señal extra: "el panda que dejó este mensaje es muy GRANDE". Entonces se paran de manos para que su trasero alcance una parte muy alta del árbol.

20

¡Hey! ¿No sabes oler?

¡Esto es priv...

Iguana del desierto expulsando bolitas de c...

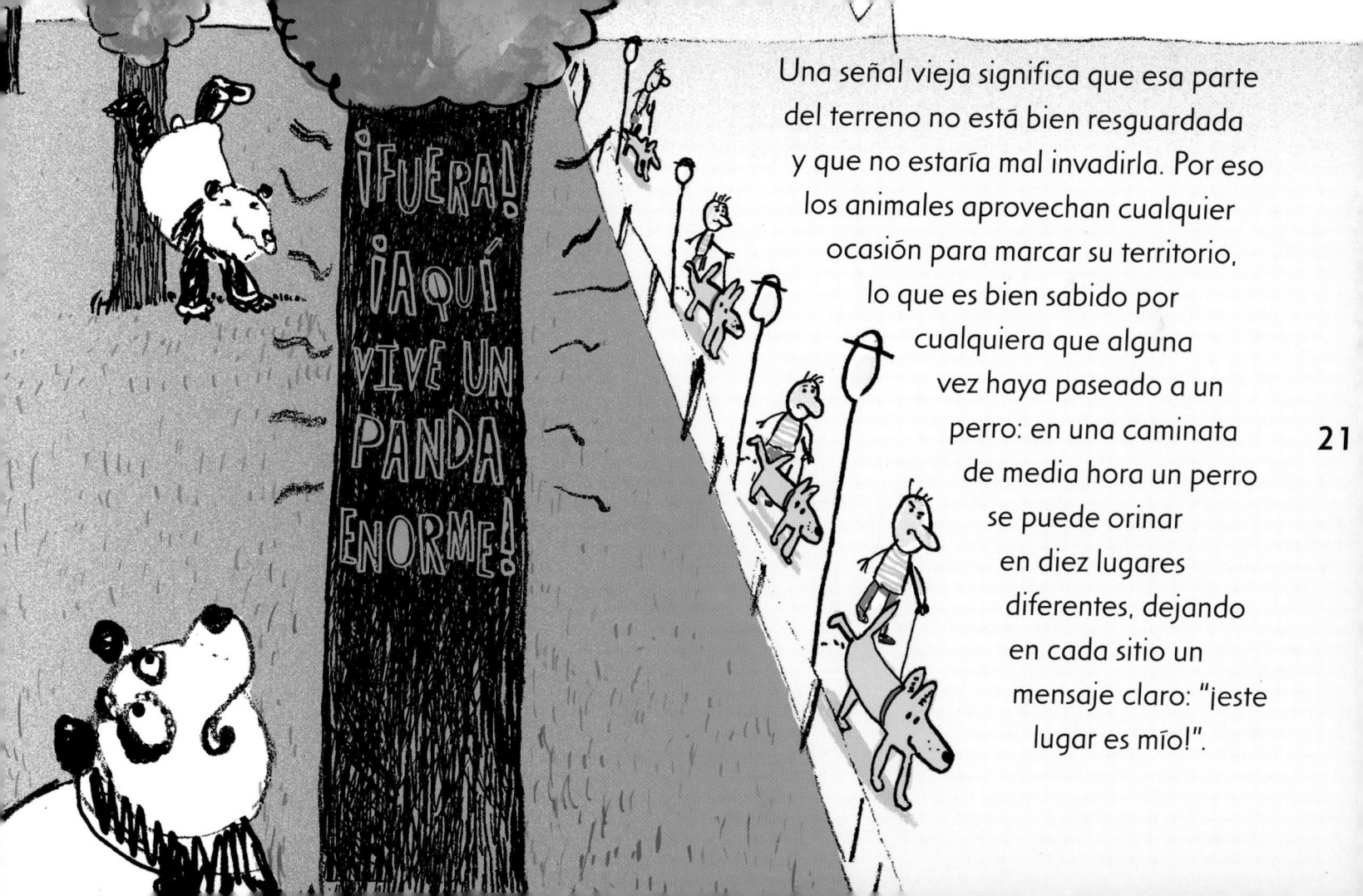

¡FUERA!
¡AQUÍ VIVE UN PANDA ENORME!

Una señal vieja significa que esa parte del terreno no está bien resguardada y que no estaría mal invadirla. Por eso los animales aprovechan cualquier ocasión para marcar su territorio, lo que es bien sabido por cualquiera que alguna vez haya paseado a un perro: en una caminata de media hora un perro se puede orinar en diez lugares diferentes, dejando en cada sitio un mensaje claro: "¡este lugar es mío!".

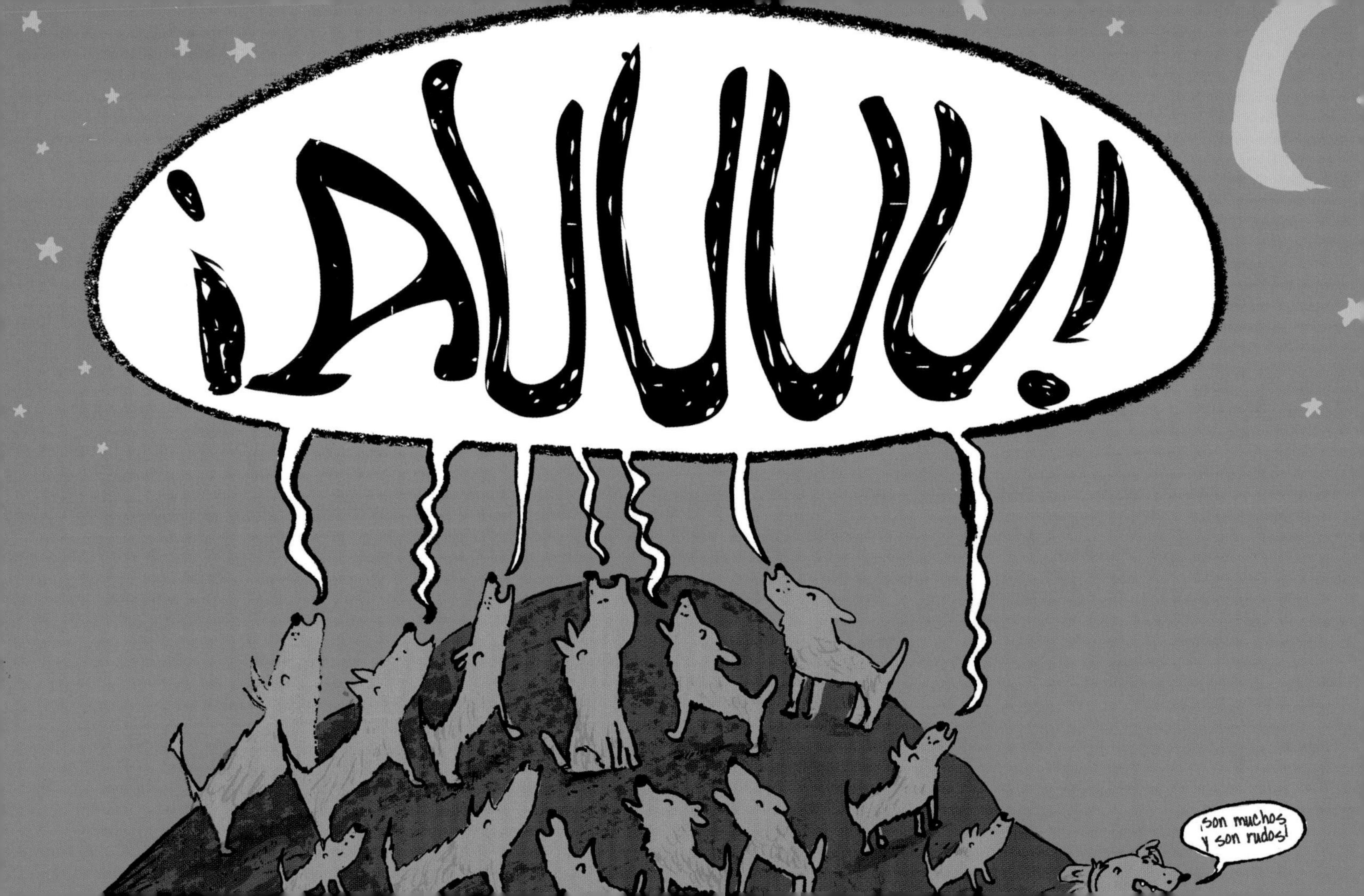
¡AUUUU!
¡Son muchos y son rudos!

EN SERIO, DIJE ¡FUERA DE AQUÍ!

A veces el olor no basta para mantener a los intrusos a distancia y es necesaria una señal más intensa. Los lobos viven en familias muy grandes y refuerzan sus marcas territoriales de olor con aullidos. Para aullar muy fuerte se reúne toda la manada, incluso los cachorros. Otros lobos los escuchan y a partir de su aullido pueden saber qué tan poderosa es una manada, así las disputas territoriales pueden resolverse sin pelear.

Los monos aulladores o araguatos también aúllan para evitar problemas de territorio. Viven en grupos familiares llamados tropas, y si dos o más tropas se encuentran podrían pelearse y sus integrantes acabarían separados y perdidos. Estos monos viven en las selvas de Centro y Sudamérica, donde es difícil ver a través de la espesa vegetación para saber dónde andan los vecinos. Así que todas las mañanas lo primero que hacen los machos es aullar muy fuerte para indicar a los demás dónde está su tropa. Es una parte tan importante en la vida de un mono aullador que los machos tienen una gran bolsa en la garganta que les ayuda a aullar lo más fuerte posible.

¡Todos arriba!
¡Estamos aquí!

¡Y nosotros, acá!

CANTA Y GANA

Los pájaros macho también defienden su territorio con sonidos. Sus canciones nos parecen dulces y musicales, pero en realidad pueden decir "¡lárgate o ya verás!" a sus rivales, o "ven aquí" a posibles parejas. Cada vez que el dueño de un territorio oye cantar a un macho de su misma especie debe responder con un canto fuerte y claro; si no, su compañera podría abandonarlo u otro macho podría apoderarse de su territorio. El canto es tan importante que algunos pájaros cantan miles de veces al día.

Aunque todos los cantos envían el mismo mensaje, algunos pueden ser muy elaborados, además de que cada especie tiene uno propio. Esto se debe en parte a los distintos hábitats: los pájaros del bosque cantan con trinos nítidos, porque se escuchan bien en la callada atmósfera boscosa; pero los pájaros de la pradera o de los brezales cantan con trinos cortos, que se escuchan mejor en las ráfagas de viento de los espacios abiertos. Las diferentes especies tienen cantos distintos por la misma razón que los peces mariposa tienen diferentes colores: ninguno desea perder el tiempo cortejando o retando a un miembro de otra especie, por eso los cantos deben identificarse con facilidad. Y además, aunque todos los pájaros de la misma especie tienen el mismo canto, cada uno lo canta de un modo ligeramente especial, así que pueden distinguir a sus vecinos de los intrusos.

SIMPLEMENTE DIVINO

Las aves pueden ser muy quisquillosas al elegir pareja, y las hembras sólo aceptan a los mejores machos para que sean los padres de sus polluelos. Por eso para muchos machos el mensaje *soy lo máximo* es más importante que el de *fuera de aquí*. Todos los pájaros comunican este mensaje a sus hembras de varias formas: con la combinación de vistosas plumas, un canto maravilloso y arabescos de baile. Y el más impresionante de todos ellos es el fabuloso y fantástico macho del ave-lira.

Para empezar, él mismo construye su escenario: un círculo de tierra aplanada del tamaño de una mesa grande. Luego inicia su rutina de canto y baile: levanta su enorme cola de plumas de encaje por encima de su cabeza como un telón, después se mueve, se agita y se sacude mientras brinca de aquí para allá. Su canto es complejo, porque imita perfectamente cualquier sonido que escucha —como llamados de otros veinte pájaros diferentes, además de sonidos humanos como alarmas de autos, sierras eléctricas e incluso obturadores de cámaras fotográficas— y lo incluye en su canto.

Su actuación puede durar horas. No es sorprendente que un macho exitoso atraiga hasta seis novias distintas en cada espectáculo, pues sólo un macho de verdad vigoroso sería capaz de lucir tan espléndido durante tanto tiempo.

OTRAS MANERAS DE DECIR "SOY ESPLÉNDIDO"

Los machos de las aves del paraíso azules se cuelgan boca abajo y hacen un ruido parecido al de una máquina de coser, para atraer a las hembras.

Las ballenas jorobadas macho entonan largas y complicadas canciones submarinas. Algunas dicen "soy guapísimo", y muchas otras dicen cosas que los científicos aún no comprenden.

Los machos de las moscas de la fruta destellan sus alas como un semáforo para llamar la atención de su pareja.

¡Hooola, chicos!

¡Miren mis plumas!

Para parecerles atractivos a las hembras, los colibríes de Ana machos ejecutan clavados perfectos y hacen un zumbido con unas plumas especiales que tienen en la cola.

Mejor quiero uno de esos globos, papá.

¡Zzzzzzmmm!

¡Ahí viene!

La hembra del falaropo rojo se aparea con un gran número de machos, así que ella es quien dice "soy espléndida" con sus brillantes plumas.

Las grandes avutardas inflan el buche y hacen resaltar sus plumas de modo que parecen un gran globo blanco que puede ser visto desde muy lejos.

29

DÓNDE ESTÁS

Está muy bien que cualquiera le diga a una posible pareja cuán maravilloso es. Sin embargo, primero es necesario que la encuentre, y para muchos animales resulta muy complicado.

El pez elefante vive en el fondo de los ríos de África Occidental, ahí el agua es muy lodosa y no se ve nada, por eso recurre a la electricidad. Estos peces tienen un órgano eléctrico en la cola, como una hilera de pilas, con el que emiten distintas pulsaciones y señales eléctricas codificadas. Si un macho detecta el zumbido eléctrico de una hembra con su pequeña trompa sensible a la electricidad, él zumba una respuesta con el código típico de los machos. Es su manera de decir "¿dónde estás?" y de responder "¡estoy por aquí!".

Para una chinche apestosa del tamaño de la uña de tu dedo meñique encontrar pareja en un jardín común sería igual que si un humano tuviera que recorrer todo un estado. Los machos de la chinche apestosa facilitan la búsqueda dejando señales de olor en el aire. Las hembras siguen el olor hasta la planta más cercana, pero ¿en qué hoja estará sentado su pretendiente? Él atrae a la hembra tamborileando en la hoja, esos golpecitos recorren todos los tallos y las hojas de la planta. La hembra percibe las vibraciones con sus patas y tamborilea una respuesta. Mediante este intercambio de señales uno y otra se localizan.

tap tap tap tap tap tap tap tap TAP ¡por aquí!

En el fondo de un río lodoso en algún lugar de África Occidental...
¡Voy para allá, guapa ¡zzzum!
¡Yuju!

LLAMADAS DE LARGA DISTANCIA

Si uno intenta encontrar una pareja pero no sabe dónde está, es conveniente enviar un mensaje que viaje lo más lejos posible. Los grillos topo cantan para atraer una pareja frotando una pata contra el borde del ala y, como casi todos los cantos de los grillos, se puede oír a más de dos metros de distancia. Pero los grillos topo construyen madrigueras y lanzan desde ahí su llamado. La forma y el tamaño de la madriguera hacen que funcione como una trompeta, y la voz del grillo se escucha 250 veces más fuerte. De hecho, tan fuerte como para hacer vibrar la tierra alrededor de la madriguera para que se escuche ¡a más de 600 metros de distancia!

El sonido viaja cuatro veces más rápido en el agua que en el aire, así que enviar mensajes bajo el agua es un método estupendo, y por eso lo emplean muchas criaturas marinas. Los sonidos agudos y chillones no viajan tan lejos como los graves. Por esa razón, el pez tambor negro usa sonidos pulsantes muy graves para lanzar su llamado en la época de celo. Lo malo es que estas canciones de amor también viajan a través de los muros de las casas en la playa y mantienen a sus habitantes despiertos toda la noche.

Entre más grande es el animal, más fácil le resulta emitir sonidos graves, por eso las ballenas azules, que son las criaturas más grandes del planeta, emiten los sonidos más bajos. Sus roncos canturreos viajan felizmente por el agua, de modo que pueden enviar el mensaje "¡aquí estoy!" a través de todo un océano.

33

¡Hoolaa!

你好!

FAMILIAS FELICES

Los mensajes "¿dónde estás?", "¡ven aquí!" y "soy guapísimo" bastan para reunir a los machos con las hembras. Sin embargo, cuidar a las crías requiere muchísima más comunicación.

Los caballitos de mar son unos padres magníficos; lo sorprendente es que el macho es quien se embaraza. Las hembras depositan sus huevos en la bolsa incubadora del macho, donde se quedan hasta que los diminutos "potrillos de mar" están listos para salir. Tan pronto como un lote de bebés sale, mamá ya está preparada con un nuevo lote de huevos. Para organizar esta estrecha colaboración, la pareja debe comunicarse bien, así que cada mañana al amanecer bailan con las colas entrelazadas.

En la mayoría de los mamíferos las mamás se ocupan solas del cuidado de los bebés, pero en el caso de los tití emperador —unos diminutos monos bigotudos de Sudamérica— la hembra debe asegurar la ayuda de dos machos, porque cada una de sus crías puede ser de un padre diferente. Así, cuando ella quiere descansar, les hace señas a los dos papás sacando su larga lengua rosa, y ellos saben que ha llegado el momento de que cada uno se ocupe de uno de los bebés.

Incubar los huevos y alimentar a los polluelos es un trabajo pesado, así que mamá y papá pájaro tienen que formar un buen equipo. Es esencial que mantengan firme su lazo de pareja, por eso los pájaros pasan buena parte de su tiempo diciéndose "mantengámonos unidos"; se saludan, se acicalan y se pavonean uno frente al otro.

eres única

HABLANDO CON MAMÁ

Los bebés se comunican con sus padres aun antes de nacer. Cualquiera que haya criado pollos puede dar fe de que los pollitos, desde el huevo, comienzan a piarle a su mamá un par de días antes de romper el cascarón. Así ella sabe que pronto su paciencia se verá recompensada.

También los cocodrilos bebés empiezan a hacer sonidos cuando aún están en sus huevos de cascarón curtido, enterrados en lodo y plantas podridas. Estos pequeños y penetrantes gritos que dicen "¡estamos naciendo!" informan a todos los hermanos y hermanas que están en el nido que ha llegado el momento de salir del cascarón, de modo que nadie se quede atrás. Y también atraen la ayuda de mamá: cuando escucha las voces de sus hijos acude al nido y ayuda a los pequeños cocodrilos a escarbar para salir. Después la mamá cocodrilo los lleva al agua en sus fauces.

El mensaje más importante que los bebés necesitan darles a sus padres es: "¡aliméntame, ya!". Los polluelos en el nido saben lo que tienen que hacer: abren el pico y empiezan a piar tan pronto como uno de los padres se acerca. Para que el mensaje sea más claro, el interior de la boca del polluelo suele ser de color brillante. Esto funciona de maravilla: para los padres es irresistible un pico muy abierto y colorido: lo único que quieren es llenarlo de comida.

DÓNDE ESTÁ MI BEBÉ

Alimentar a los bebés es una tarea dura, y los padres no quieren desperdiciar su esfuerzo en bebés ajenos. Los bebés tampoco quieren eso, pues si sus padres alimentaran a un extraño ¡no tendrían suficiente comida para sus propios hijos! Por eso, cuando las crías de diferentes padres se mezclan, los grandes y los pequeños procuran mantenerse en contacto para evitar confusiones.

Cada noche, durante la temporada de cría, millón y medio de murciélagos cola de ratón vuelan desde sus perchas bajo el puente de la Avenida del Congreso en Austin, Texas, dejando atrás a cientos de miles de bebés. Cada mamá murciélago regresa por lo menos una vez por noche para amamantar a su único bebé, le da en leche el equivalente a un cuarto del peso de su cuerpo cada 24 horas. Para asegurarse de que la preciada leche es sólo para su bebé, reconoce su agudo chillido. Mamá murciélago reconoce la voz de su bebé entre miles de otras voces que resuenan bajo el mismo puente.

Los esponjados polluelos del pingüino rey del Polo Sur deben asegurarse de que sus padres, al regresar a casa con la comida, puedan encontrarlos entre miles de otros polluelos que se acurrucan juntos para darse calor. También lo hacen mediante la voz: son capaces de identificar la voz de sus padres de entre las demás, incluso cuando el aullido del viento de la Antártida ahoga la mitad de los llamados.

GUU GUU, GAA GAA

Las crías de las aves no tienen que aprender cómo abrir el pico, y sus padres tampoco aprenden qué significa "¡aliméntame, ahora!". Así sucede con muchas señales sencillas: los animales saben desde que nacen cómo enviarlas y cómo comprenderlas. Sin embargo, algunos tipos de comunicación más complicados, como el canto, necesitan un poco de práctica.

Los pinzones son unos hermosos pájaros de jardín; su canto es uno de los más gratos de la primavera en Gran Bretaña y Europa, pero tienen que aprender a cantar. Los pinzones silvestres escuchan el canto de un montón de machos y luego practican en silencio, con los picos cerrados. Al principio se escucha un revoltijo de muchas notas, pero a las pocas semanas de escuchar y de practicar, cada macho está listo para trinar su canción: ésta se parece lo suficiente a la de los demás pinzones como para identificarlo como uno de ellos, pero tiene su propio estilo, lo que permite saber de quién es exactamente.

Las crías de los delfines emiten algunos sonidos y silban casi desde que nacen, y producen muchos otros sonidos que los delfines adultos no hacen. Los investigadores creen que se trata de "balbuceos" semejantes a los de los bebés humanos. Desde los siete meses de edad, un bebé humano ensaya todos los diferentes sonidos que puede para ver qué pasa. Recuerda los sonidos útiles, como *mamá* o *papá*, pero desecha los sonidos que normalmente no escucha (porque pertenecen a un idioma que mamá y papá no hablan) o que no surten efecto alguno. También los delfines bebés dejan de hacer ciertos ruidos al cabo de algunos meses, mientras que conservan otros, de modo que los bebés, tanto delfines como humanos, tienen un equipo de herramientas sonoras que funcionan con los adultos que los rodean.

42

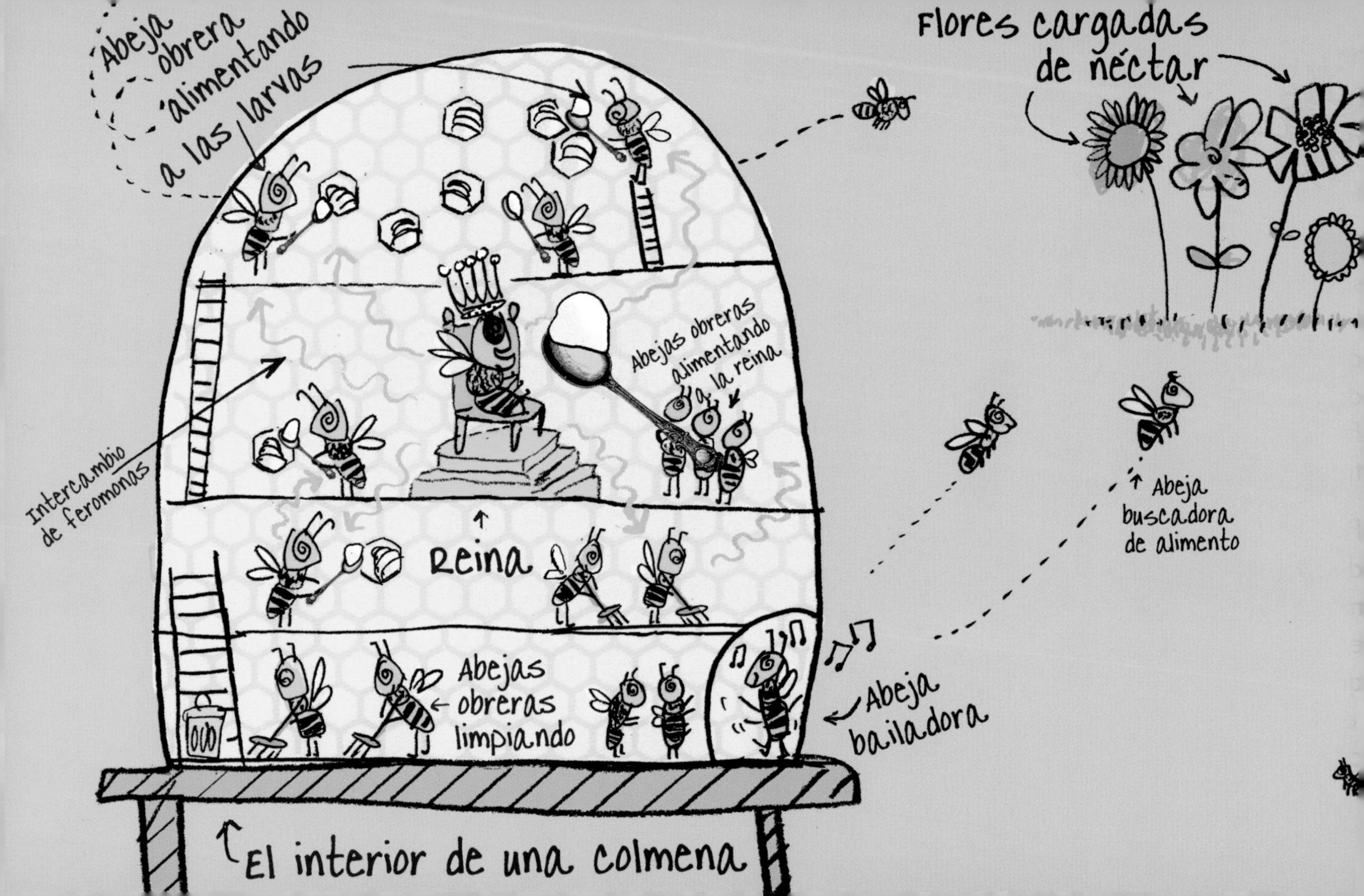

Abeja obrera alimentando a las larvas

Flores cargadas de néctar

Intercambio de feromonas

Abejas obreras alimentando a la reina

REINA

Abeja buscadora de alimento

Abejas obreras limpiando

Abeja bailadora

El interior de una colmena

VIDA EN CONJUNTO

La buena comunicación sirve para encontrar pareja, ayuda a los padres a criar a los pequeños y permite que las comunidades trabajen unidas.

Las abejas mieleras viven en colonias de más de 100 mil habitantes. Suelen tener una única reina que sólo pone huevos. Todas las demás abejas son sus hijas; la mayoría son hembras obreras, que atienden a la reina, cuidan a los huevos y las larvas, limpian la colmena y vuelan en busca de néctar y polen para que la comunidad esté bien alimentada. Todo está perfectamente ordenado gracias a un brillante sistema de comunicación química. La reina y las obreras intercambian cocteles de mensajes químicos, llamados feromonas, que controlan la conducta de las abejas de la colonia, así garantizan que cada cual haga el trabajo debido en el momento correcto.

Para comunicarse entre sí las abejas también bailan. Una abeja buscadora que encuentra flores cargadas de néctar necesita decírselo a cuantas obreras sea posible, de modo que puedan llevar a la colonia montones de néctar. Así que la abeja se pone a bailar, bamboleando su trasero en el momento en que entra al panal de la colmena. Las otras abejas la tocan con sus antenas, detectan en qué dirección baila, el número de movimientos y qué tan emocionada está. Todo esto les dice dónde encontrar el néctar y entonces hacen una "ruta" de abejas que las conduce a las flores.

45

Bzzz Bzzz Bzzz

El exterior de una colmena

RETUMBOS EN LA SABANA

Los elefantes africanos también viven en grupos familiares que conduce una hembra, la matriarca, y su supervivencia depende de la colaboración de todos. La comida y el agua pueden escasear, y los predadores son un peligro para las crías. La matriarca suele ser la hembra más vieja del grupo. Recurrir a su buena memoria para saber dónde hay agua y comida, así como la capacidad de la manada para mantenerse unida, son temas importantes que dependen de una buena comunicación.

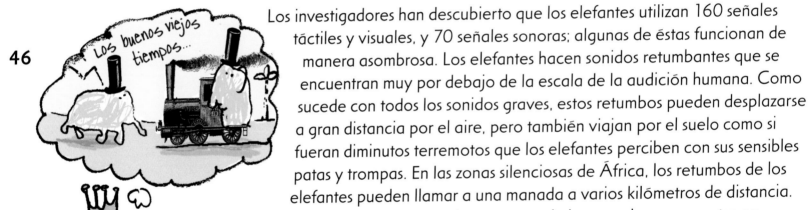

Los buenos viejos tiempos...

Los investigadores han descubierto que los elefantes utilizan 160 señales táctiles y visuales, y 70 señales sonoras; algunas de éstas funcionan de manera asombrosa. Los elefantes hacen sonidos retumbantes que se encuentran muy por debajo de la escala de la audición humana. Como sucede con todos los sonidos graves, estos retumbos pueden desplazarse a gran distancia por el aire, pero también viajan por el suelo como si fueran diminutos terremotos que los elefantes perciben con sus sensibles patas y trompas. En las zonas silenciosas de África, los retumbos de los elefantes pueden llamar a una manada a varios kilómetros de distancia. Esto explica cómo, cuando una parte de la manada se encuentra en problemas, el resto aparece de la nada como por arte de magia.

←la matriarca

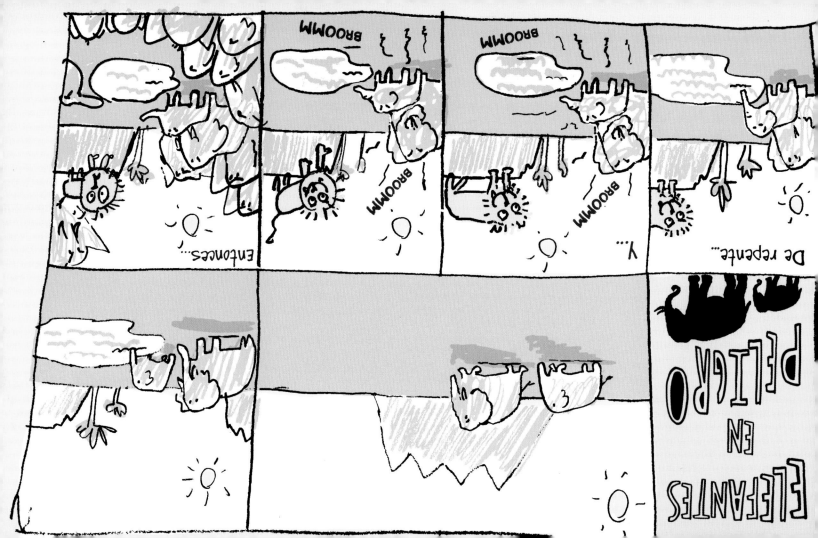

EL LADO OSCURO

Dondequiera que haya comunicación habrá mentira, y lamento afirmar que en el mundo animal también hay mentirosos. Las moscas de las flores tienen, igual que las avispas, un diseño a rayas negras y amarillas brillantes que significa *peligro*. Pero las moscas de las flores mienten, pues no tienen aguijón. Las falsas coralillos exhiben un diseño de alerta parecido al de la venenosa serpiente coralillo, que tiene rayas rojas, amarillas y negras, sólo que las falsas coralillos son inofensivas. Estos dos animales mienten en defensa propia, pero existen muchos otros mentirosos que son letales.

El blénido dientes de sable puede adoptar la apariencia y la conducta de un lábrido limpiador para ofrecer servicios de limpieza a los peces de los arrecifes, pero sus clientes no tardan en darse cuenta de que está mintiendo cuando les arranca un pedazo de carne de un mordisco. La hembra de la araña boleadora lanza al aire un mensaje químico de feromonas, que es idéntico al que utilizan las polillas hembra para decir "¡aquí estoy, ven y tómame!". Las polillas machos emprenden el vuelo ansiosamente, con la esperanza de acudir a un encuentro apasionado, pero en su lugar se convierten en la cena de la araña.

Sin embargo, no existen demasiados animales mentirosos, pues si la mentira fuera algo muy común, nadie caería en la trampa. El significado del mensaje original cambiaría: las rayas de una mosca de las flores dirían *cena* en lugar de *peligro*, y el uniforme del blénido no diría *confía en mí* sino *cómeme antes de que yo te coma a ti*. Todos, tanto los mentirosos como los que dicen la verdad, podrían ser comidos.

¡Mentirosa!

¡Hipócrita!

una falsa coralillo engañosa

49

VERDAD Y MENTIRA

Creer en una mentira puede causar problemas, como en el caso de la araña boleadora. Una hembra que le cree a un macho que miente sobre su tamaño y su fuerza puede acabar con un debilucho como pareja; un macho que cree en la misma mentira puede darse por vencido y perder una pelea que pudo ganar. Por eso los animales se mantienen en guardia contra las mentiras y buscan señales auténticas que no puedan ser falsificadas.

Cada otoño, los machos del ciervo rojo compiten para aparearse con el mayor número hembras posible. Sin embargo, pelear con esas enormes astas puntiagudas es muy peligroso, así que deciden cuál de ellos es el más fuerte mediante el alarde. Se lanzan entre sí sonoros rugidos profundos y prolongados, que significan *soy grande, vigoroso y fuerte*. La ventaja del rugido es que no puede falsificarse: requiere un gran esfuerzo, y para emitir un sonido grande y fuerte es necesario ser un ciervo grande y fuerte. Muchas competencias no van más allá del rugido, pues los machos débiles pueden escuchar qué tan fuerte es el oponente, y saben que no vale la pena arriesgarse a ser herido en una pelea. Sólo los machos cuya fuerza se iguala, de modo que sus rugidos suenan idénticos, le ponen punto final a su rivalidad con una pelea en forma.

Van a tener que pelearse en serio para resolver esto.

Estoy seguro de ser más fuerte.

"Cuidado, viene una serpiente."
Contiene todas las frases útiles que los monos vervet necesitan conocer para la vida diaria vervet
DICCIONARIO VERVET DE PALABRAS Y FRASES

ASUNTO DE MONOS

Hasta ahora hemos hablado de mensajes y señales que, como los señalamientos de una carretera, funcionan bien para una comunicación sencilla.

Sin embargo, no es posible conversar adecuadamente usando señales de tránsito. El lenguaje es necesario para una comunicación más complicada que se refiera a ideas y sentimientos, cosas y lugares, y lo primero que un lenguaje necesita son palabras. Pueden formarse con sonidos, gestos, olores y recursos visuales, o con cualquier otra cosa que pueda detectar los sentidos de los animales. Por ejemplo:

Los sonidos *g, a, t* y *o* juntos significan *GATO*, y ⟨imagen⟩ significa lo mismo en el lenguaje de señas.

Pero *GATO* y ⟨imagen⟩ son siempre iguales y siempre significan lo mismo.

Ciertamente, los seres humanos no son los únicos que usan palabras. Los monos vervet o cercopitecos verdes, tienen diferentes llamados de alerta para las distintas clases de predadores: águilas, serpientes y leopardos. Cuando los monos escuchan *serpiente*, todos se paran en sus patas traseras y miran hacia el suelo para buscar a la pitón que se desliza por ahí. Cuando escuchan *leopardo* se trepan a lo alto de un árbol, donde el leopardo no puede atraparlos, y cuando escuchan *águila* se esconden en arbustos espesos, donde un águila no puede verlos.

Se ha descubierto que varias especies de monos africanos usan "palabras" para referirse a los predadores, y que las diferentes especies que viven en la misma zona comprenden las alertas de las demás. Es una gran ventaja: significa que hay más ojos atentos al peligro y que muchas voces pueden dar la alarma.

Las palabras solas no bastan: para que formen un lenguaje es necesario hilvanar oraciones cuyo significado es más complejo, y parece que los monos lo hacen. A las "palabras" de alarma para los predadores añaden otros mensajes que, de acuerdo con la reacción de la tropa, dicen frases como "¡ahora mismo!" o "a lo lejos".

Para saber lo que dicen los monos, los investigadores graban sus llamados; luego los reproducen y observan qué hace la tropa. Es complicado y toma mucho tiempo, además de que no funciona muy bien para los llamados más silenciosos que los monos utilizan para comunicarse individualmente. Pero si los monos dicen "águila arriba en este momento" y "leopardo bastante lejos. No es urgente", ¿quién sabe de qué más puedan hablar? Es cierto que son capaces de usar las palabras para mentir. Un mono que no quiere compartir un alimento puede decir: "¡serpiente! ¡Ahora mismo!", con la intención de que el resto de la tropa salga disparado hacia la cima de los árboles, dejando que el mentiroso disfrute su golosina en paz.

HABLAR ANIMAL

Los investigadores del lenguaje y la comunicación
discuten si los animales, como los monos de la página anterior, tienen un lenguaje semejante al de nosotros.
Si es así, entonces podrían aprender algo del nuestro. Algunos investigadores creen que hay animales que
aprendieron el lenguaje humano.

Los chimpancés son nuestros parientes más cercanos, pero no tienen cuerdas vocales, lengua ni boca iguales
a las nuestras, de modo que nunca podrán articular palabras. Sin embargo, sus manos y muchos de sus
gestos se parecen a los de los humanos. Por eso en la década de 1960 se inició en Estados Unidos un
experimento para enseñar a una mona joven, llamada Washoe, la lengua estadounidense de señas, que es
la que utilizan quienes tienen dificultades para oír o para hablar. Washoe aprendió 250 señas diferentes y
le enseñó a otro chimpancé 50 sin ayuda de nadie. Washoe construía oraciones, pedía comida y bebida
o decía que quería jugar. Y era capaz de relacionar las señas para ayudarse a nombrar o describir cosas
que nunca había visto. Para comunicarse entre sí, el pequeño grupo de chimpancés cautivos empleaba los
sonidos, gestos y contactos típicos de su especie, pero también usaba la lengua de señas de los humanos.

Los loros son unos imitadores sensacionales y les resulta muy fácil repetir palabras humanas; pero al parecer
Alex, un loro gris africano que vivió 30 años con la investigadora Irene Pepperberg, comprendía las 150
palabras que aprendió a decir. Alex podía responder preguntas sobre la forma, el color, el tamaño y el número
de objetos que se le ponían enfrente aunque nunca los hubiera visto. Igual que Washoe, Alex a veces construía

por su cuenta oraciones que aparentemente demostraban que entendía las palabras que usaba. Una ocasión en que Irene tuvo que dejarlo con el veterinario para un tratamiento, Alex dijo: "regresa. Te quiero. Lo siento. Quiero regresar".

Hay quienes afirman que Washoe y Alex no entendían lo que decían, y que sus palabras no manifiestan nada sobre los pensamientos y los sentimientos animales. Sin embargo, Washoe y Alex estaban lejos de su hogar silvestre, y vivían con humanos, que son otra especie. Es como si tú o yo aprendiéramos "alienígena" en un platillo volador que va rumbo a Marte. ¿Cómo nos las arreglaríamos? El lenguaje humano ha evolucionado a lo largo de decenas de miles de años con el propósito de expresar lo que sucede en nuestro mundo, en nuestra cabeza y en nuestro corazón. Pero los animales no son personas: sus pensamientos y sus sentimientos son muy diferentes de los nuestros. ¿Cómo podrían nuestras palabras expresar plenamente lo que ellos quieren decir?

Los investigadores que están al pendiente por si hay señales alienígenas provenientes del espacio han desarrollado programas de computación capaces de detectar la huella de un lenguaje en cualquier señal. Algún día podría usarse esta técnica con los sonidos de los delfines, que quizá se aproximen más a nuestra idea de *lenguaje*. Quizá entonces sepamos al fin lo que los animales tienen que decir acerca de nosotros.

58

Índice

60

PELIGRO

Eres una mentirosa.

¡No es verdad!

Glosario

Colonia: Animales que viven juntos y comparten las tareas necesarias para mantenerse vivos.

Especie: Una clase de animal o de planta. El helecho es una especie de planta, y la cebra es una especie de animal.

Evolución: La forma en que los animales y las plantas cambian a lo largo de muchas generaciones. En ocasiones el cambio es tan grande que se transforman en nuevas especies.

Feromonas: Una señal mediante sustancias químicas que produce un animal y que modifica parcialmente la conducta de los demás miembros de la especie que la detectan.

Hábitat: Lugar donde puedes encontrar un animal en particular. Por ejemplo, el hábitat de la ballena es el océano, no el bosque.

Incubación: Los pájaros se sientan sobre sus huevos para mantenerlos calientes, de modo que los polluelos que están dentro puedan crecer: eso es incubar. También los reptiles incuban sus huevos enterrándolos en un lugar caliente o manteniéndolos dentro de su cuerpo.

Matriarca: La hembra líder de un grupo de animales, que suele ser más vieja y sabia que los demás. ¡Es como una súper abuelita!

Semáforo: Un tipo de señales que se hacen con banderas en diferentes posiciones para significar letras y palabras. También las moscas de la fruta mueven sus alas de diferente manera para enviar mensajes.

Sonidos de ecolocalización (radar): Ruidos que hacen los murciélagos y otros animales que producen ecos y les sirven para orientarse.

Territorio: Área en la que un animal encuentra comida, refugio y pareja, ¡y que no le gusta compartir con los demás!

Toxinas: Significa lo mismo que *veneno*.

Ultravioleta: Una clase de luz, más allá del azul del arcoíris, que los humanos no pueden ver muy bien, aunque los insectos y otros animales sí. Forma parte de la luz del sol que broncea tu piel.

61